KB177988

메트로놈

발 행 | 2023년 12월 29일
저 자 | 김유화
펴낸이 | 한건희
펴낸곳 | 주식회사 부크크
출판사등록 | 2014.07.15.(제2014-16호)
주 소 | 서울특별시 금천구 가산디지털1로 119 SK트윈타워 A동 305호
전 화 | 1670-8316
이메일 | info@bookk.co.kr

ISBN | 979-11-410-6294-1

www.bookk.co.kr

메트로놈

김유화 산문집

시간이 하늘과 바다 사이의 수평선을 지워버렸다

… 나는 그 미완의 푸름에 몸살을 앓았다

목차

〈나에 대하여〉

 글을 읽기 전 이 모든 걸 써야 했던 나에 대해 말하고 싶다. 내가 어떤 사람인지, 어떤 삶을 가지고 태어났는지 어렴풋하게나마 전달해야 당신이 내게 품을지도, 어쩌면 이미 품었을지도 모르는 적개심을 조금은 덜 수 있을 것이라고 믿는다.
 하나. 무언가를 이겨내라는 말을 싫어한다. 그러나 쉬이 입 밖으로 내지 않는다. 나는 관습에 반기를 들고 열변을 토로하는 사상가나, 어른들의 말에는 무조건 토를 달아야만 성이 풀리는 혁명가가 아니기 때문이다. 한때는 무람없는 성정의 소유자였던 적도 있었지만, 지금은 그것이 실질적으로 내게 도움을 주기보다는 반항아라는 낙인만 찍어버린다는 사실을 안다. 겉으로는 공부를 꽤 잘하고 조용해서 모범생 같다는 평이 주를 이루는 사람이 나다. 그러나 내면에는 무수한 겹의 소란을 품고 있는 게 나라는 걸 사람들은 영원히 모를 것이다. 내가 말하지 않았으니까. 진실한 나를 증명하기 위해 꽤 노력했던 적도 있었다. 공부

하는 게 그 누구보다도 싫다. 일탈하는 것을 즐긴다. (이런 말을 하면 어른들은 한 방향만으로의 일탈을 떠올리기 때문에, 장난이라도 그런 말을 해선 안 된다고 나를 다그친다. 그리고 나는 그들이 어리석다고 생각한다) 때론 인생이 컵케이크 속 바퀴벌레를 먹는 것처럼 고통스러울 때가 있다. 물론 거의 아무도 믿어주지 않았다. 마치 내 인생이 성공의 보증수표를 밟고 서 있는 마냥. 그래서 SNS로 타인의 인생을 들여다볼 때 박탈감을 느끼는 일이 비교적 적은 것 같다. 보여지는 인생과 걸어가는 인생의 간극이 얼마나 큰지 너무나도 잘 알고 있기 때문이다.

사실 어릴 때부터 나는 꽤 기울어진 사람이었다. 네, 좋아요, 그렇습니까, 그렇습니다. 의 말보다 왜요, 나한테 명령하지 마요, 싫어요, 참지 않아요, 따위와 더 가까이 지냈었다. 내 그릇이 받아들일 수 있는 말은 딱 거기까지였다. 엄마는 겨우 세 살이 지난 내가 그런 말들을 서슴없이 내뱉을 때마다 온몸의 피가 거꾸로 도는 듯했다고 하였다. 그리고 가슴을 치며 울었다고 했다. 엄마는 그때, 세 살짜리 아이의 앞날에 배를 깔고 누워버린 어둠의 자취를 느꼈을 것이다. 누구도 가로챌 수 없는 어둠. 가슴을 쓸어내릴 때마다

앞으로 밀려올 얼마만큼의 정의와 내쳐지게 될 내력의 격자무늬가 아직도 선명하게 느껴진다. 지금의 인생은 세 살짜리의 내게 주어졌던 것과 다르지 않은 모습을 하고 있었다. 친하다고 부를 수 있는 사람이 적고, 간섭하는 걸 무엇보다 싫어하고, 여위고 살찌우기를 반복하는 달처럼 쉽게 우울해지고 명랑해졌다.

나에 대한 설명은 여기서 그친다. 이제 나의 이야기가 당신에게로 긴밀하게 흘러 들어가길 바랄 뿐이다.

1부
부록 같은 날들

사랑의 정의

…그대 내 손을 놓지 말아 줘
부딪혀도 아프지 않은 미래는 그대뿐

이어폰 너머로 낡은 음악이 들린다. 타악기 소리가 풍경을 세게 한 번 두드리고 잠들어 있던 음계가 제각기의 걸음으로 기어 나온다. 곧이어 마이너코드의 피아노 울림이 피의 선회를 종용하고, 바람보다 얇고 투명한 가사가 머릿속에 지문을 남긴다. 이상은의 「23, 24, 25」이다. 나는 이 노래를 정말 좋아한다. 김광석의 「일어나」와, 자우림의 「샤이닝」, 「청춘예

찬」보다 이 노래를 좋아하는 데는 나름의 이유가 있다. '부딪혀도 아프지 않은 미래'라는 가사가 내게 사랑의 정의가 되어주었기 때문이다.

나는 이전부터 사랑과 슬픔이 꼭 쌍둥이처럼 닮았다고 생각했었다. 둘의 속성 때문이었다. 슬픔은 아무리 꼭 쥐고 있어도 모양을 알 수 없는 돌처럼 내게 아무런 신상도 남기지 않은 채로 밀려오고 밀려난다. 검고 망망한 하늘 위에서 어둠을 뚫고 피어나는 찰나의 불꽃처럼, 그친 줄 알았던 갓난쟁이의 잠투정처럼 불현듯 찾아온다. 내 심장 위에 휘발성의 잉크로 그림을 그리고, 작은 불꽃 한 점을 매달아 놓는다. 그것이 타들어가는 동안 심장이 반 건조된 과육처럼 바싹바싹 말라 간다.

슬픔은 인간이 품고 태어난 여러 감정 중 불분명함 속에서 분명함을 찾아내려는 인간의 본성에 반하기에 다들 슬픔을 미워한다. 그렇다면 사랑은 어떨까. 사랑 또한 같다. 명료하게 딱 떨어지는 구석이 없다. 사랑이 때론 더 큰 슬픔을 불러오기 때문에 슬픔이란 감정과 쉽게 혼융될 수 있다. 슬픔과 사랑은, 인간의 몸에서 일란성으로 태어나는 감정일 것이다. 그러나 다른 점은 사랑이 대개 긍정 명사라는 것이다. 슬픔의 긍정적인 효과는 오직 나를 시간의 배반으로부터 익숙해지도록 순치(順治)하는 것뿐이지만 사랑은 종종 구원으로 이어짐이 그 까닭이다. 그리고 사랑은 슬픔이 따라잡을 수 없는 속도로 번식한다. 억누를수록 더 싱싱하게 살아나 나의 사랑이 누군가를 잇는 또 하나의 길이 되고, 불행의 씨앗을 절단한다. 이는 사랑이 혼자만의 것이 아니기 때문이다.

부딪혀도 아프지 않은 미래! 이 말이 눈알에 박힌 문자처럼 쉽사리 내 삶의 허공에서 벗어나지 않았다. 이것이야말로 사랑, 순수한 사랑이라고 확신했다. 또한 그것은 사랑뿐만 아니라 죽음을 가리킬 수도 있고, 고통과 예속이 사라진 순수 의지에 대한 갈망일 수도 있다. 진실은 별들의 비망록처럼 멀고도 흐릿한 것이라 어느 쪽일지는 알 수 없다. 그러나 사랑의 모태는 믿음이기에, 자신의 미래를 맡길 수 있다는 믿음이야말로 가장 정확한 사랑의 정의가 아닌가. 하는 생각이 들었다. 누군가 내게 사랑의 정의를 묻는다면 이 노래를 들려주고 싶다. 그러면 그 사람은 내 얼굴을 보고, 약간은 당황한 기색으로 물을 것이다.

“…다 좋은데, 마지막 부분이 좀 이상하지 않아?”

그렇다면 이렇게 말해야지.

“그게 내가 해주고픈 얘기야.”

fin .

의식의 흐름

아무 말이나 지껄인다고 잠언이 되고, 아무 글이나 쓴다고 작품이 되는 게 아니라는 건 누구보다 잘 안다. 내가 쓰는 모든 글이 시가 되고, 모든 이야기가 수필이 될 수는 없다. 그러기에 펜이 떨린다. 이것은 내게서 가장 가까운 이야기이다.

오늘도 명멸하는 밤과 솟아오르는 아침의 날개 사이에서 하루를 구했다. 나는 그것만으로 살아갈 가치가 있다.

며칠 전의 내가 썼던 문장이다. 하루를 시작할 때 늘 막연함으로 잠을 깨지 못하는 나를 위해 쓴 것 같았다. 나는 왜 다가오는 하루를 두려워할까.

…조금 더 먼 접근이 필요한 것 같다. 나는 왜 인생을 두려워할까. 우선 인생에 대해 설명해야 할 것 같다. 인생은 희망과 절망, 위선과 위악, 순수와 냉소처럼 무수한 x, y 축이 만들어내는 기하 안에서 결정된다. 그러기에 우리가 "인생은…" 하고 말할 때 자신의 말에 아득함을 느낀다. 나도 이 기하를 설명할 길이 없다. 이것은 내가 전적으로 문과이기 때문이 아니다. 무수한 사방연속입체가 나를 어지럽게 하고 내가 세우지 않았던 가치들이 제멋대로 내 인생에 끼어들어 좌표축을 그리고 있다. '좋다'와 '나쁘다'의 x뿐이었던 수직선은 나이가 들수록 더 많은 좌표를 그리고, 청소년기에 폭발적으로 늘어난다. 하루가 지나면, 인생은 하나의 차원이 늘어난다. '어떻게 살 것인가'를 청소년기의 내게 물었던 사람에게서 극도의 위협을 느끼는 것이 그 이유다. 청소년기의 나는 과격했다. 한없이 약했고, 때론 학구적이기도 했다. 아직도 과격하고, 또 한없이 약하다. 모든 것이 지시어 없는 예언처럼 격자로 내 청춘을 가로지른다. 내 청춘의

고가차도에선 15중 추돌사고가 매일매일 일어난다.

다만 하루를 조금 더 가벼운 축으로 분할해 보면, 앞서 묘사한 바와 다르게 내 인생이라고 별로 대단할 건 없다. 학교에 가고 학원에 가고, 집에 와서는 못 봤던 축구 경기의 하이라이트를 재생하고, 가끔 멋들어지는 말이 떠오르면 노트에 옮겨 적는다. 좋고 싫음의 기호가 분명할 뿐이지 수학학원을 가는 끔찍한 시간조차도 유의미하게 받아들이려고 노력한다.

…여전히 하루는 무겁기만 하다. 그럴 때면 절망을 느끼려 한다. 절실하게 절망이 필요했던 순간이 있었다. 봄에는 늘 그랬다. 창밖을 내다보면 벚꽃이 메모지처럼 흩날렸다. 손톱보다 작은 분홍이 내 머릿속의 모든 메모를 앗아갔다. 유리 벽 뒤에서 자유가 술잔을 기울이고, 폭죽을 터뜨린다. 나는 매일매일 봄의 싱그러움에 기만당했다. 그럴 때면 이 시제를 단정한 절망으로 써내려갔다. 조금의 희망도 남기지 않으면 비로소 고요가 찾아왔다. 반대로 삶이 희망을 원할 때도 있다. 이런 식으로, 나는 내 하루 안에서 희망과 절망을 적절히 처방할 줄 안다. 두 가지 다 내 인생

에 필요하기 때문이다. 나는 이전에 절망을 긍정하는 글을 썼었다. 그것이 슬픔을 물러나게 하는 약이 될 때도 있다는 내용이었다. 절망은 너무 나와 닮아 있어서, 또 때로는 나를 아픔에서 벗어나게 해주기에, 마치 모르핀 같다. 일종의 마약이다. 그러나 많은 사람이 그렇듯 희망은 우주. 나. 죽음처럼 먼 관념이다. 내가 가진 희망도 태양 속 흑점처럼 작다. 하지만 그 작은 것이 이제껏 나를 먹여 키워왔음을 안다. 절망은 하루에 몇 번이고 새로운 초침을 그려 넣지만 우리는 희망의 시계로 움직여야 한다. 그것이 아주 느릴지라도, 0과 1뿐인 시간이더라도. 나는 하루를 24시간으로 살지 않는다. 하루의 표면에서 영혼을 떼어내면, 그것이 절망이고 영혼이 해동되는 시간만이 희망을 찾는 적기이다. 나는 서서히 희망으로 호흡하는 법을 익히려 한다. 로스앤젤레스에서 벗어나기 위해 몸부림치는 마약중독자처럼. 무의미하다고 느꼈던 시간을 절망으로 질식시켜 내 몸에 너무 많은 절망들이 흐르게 했다. 다만 어느 쪽도 부정하지 않는다. 내 몸이 희망을 찾기를 바라고 있을 뿐이다. 최고로 불행해야 할 고등학생 신분에 희망을 찾는다는 것이 불가능을 외치는 것과 다를 바 없지만, 삶의 모든 구석마다 희망의 엽서는 꽂혀 있을 거라고 믿는다.

다시 인생 이야기로 돌아와서, 내가 아침을 두려워하고, 하루를 두려워하는 까닭은 전적인 나의 질병이다. 공동체적 관점에서 본다면 막연함 때문일 것이다. 막연함은, 삶을 아름답게 만들어주지만 인간을 결코 행복하게 해 주지는 못하는 것 같다. 그러나 반대로 생각해 보면 어제의 나와 오늘의 나를 구분할 수 없을 정도로 같은 기억을 선회하고 있는 일상 바깥으로 튀어 나가고픈 권태가 나를 충동질하는 걸지도 모른다. 막연함인가 반복됨인가. 내일의 나는 해면처럼 어제의 기억을 흡수한 채 깊이 가라앉을 것인가, 하루살이처럼 새 생명의 날갯짓으로 하루를 비행할 것인가. 내일도 영원히 모를 일이다.

fin

여행의 쓸모

중간고사가 끝나고 받은 명절 연휴 동안, 우리 가족은 영월과 정선 여행을 갔다. 겉으로 내색하지는 않았지만, 친척 집에 가는 것보다 마음을 달뜨게 해서, 잠도 제대로 자지 못했다. 여행을 가는 것은 차 안의 무료한 시간마저 잊게 해 주었다. 5시간을 달려온 끝에 목적지에 도착했다. 주차장에서 내리자 도시에서는 볼 수 없는 높은 산들이 풍경을 감싸고 있었다. 청록으로 굽이치는 산 군데군데에 가을이 엽서처럼 끼어 있었다. 잎이 조금씩 물들어 가는 것이 보였다.

우리가 갔던 곳은 오대산 중턱의 삼원사에 있는 적

멸보궁이였다. 적멸보궁을 보려면 산을 올라야 했다. 5시간 동안 앉아 있어 온몸이 저릿하고 무거웠지만 차 안에서 내리고픈 마음이 컸다. 절에 올라가면서 아직 살아있는 풀들의 싱그러움에 눈의 피로가 풀렸다. 산에는 도토리가 정말 많았다! 우리가 오기 전 한 차례 비가 내려서 산 아래로 물이 흘렀다. 물소리가 굳어 있는 풍경을 맑게 풀어내었다. 이 물은 아마 눈이었으려나 하는 생각이 들었다. 겨우내 꽃을 얼려 죽였던 눈은 다시 지반으로 들어가 봄꽃에게 생명의 수액을 흘려 준다. 그것이 여름과 가을을 투과하여 사시사철 방탕하게 흐르는 것일지도 모른다.

조금 더 올라가자 돌계단이 나왔다. 엄마가 내게 사진을 찍어 주겠다고 했지만 거절했다. 나무 사진을 찍고 싶었다. 흙보다 검은 수피에게서 짐승의 단단한 생물성을 느꼈다. 셔터를 세게 누르자 포커스가 흔들려 사물이 시간의 궤도를 조금 이탈했다. 역시 사진 찍는 데 재능은 없었다. 여기서 잠시 쉬어가기로 했다. 많이 올라간 것도 아니였지만, 불어오는 바람이 박하사탕처럼 달콤하게 느껴질 정도로 피로했다. 천천히 둘러보니 산은 아직 여름의 허물을 벗지 못했다. 다들 단풍이 아름답다, 가을 산이 아름답다고 하지만 산의 마음은 여름을 쉽사리 떠나지 못하는 것 같다. 우리의 마음도 그렇다. 여름 내내 힘들었던 장마와 폭염보다 흰 데님 원피스를 입었던 기억, 잠자리를 쫓던 기억이 더 선명하게 남아있다. 신이 빈 하늘에 여름을 적어냈을 때, 쇠꼬챙이에 꽂힌 채로 익어가는 지옥을 생각하지 못하도록 더위에 신기루를 묶어 보내기라도 했나. 여름은 조작된 기억을 위한 계절이다.

절 안에는 건물과 빈터가 적절한 비율로 섞여 있었다. 불국사처럼 웅장한 기색을 뽐내거나 낙산사처럼 산수가 도드라지게 아름다운 절은 아니었지만, 청록의 산을 어깨에 끼고 있으니 제법 운치가 있었다. 높은 곳으로 올라가 우-. 하고 소리쳐 보았지만 메아리는 울리지 않았다. 절을 감싸고 있는 단풍잎 그늘이 마치 아기 손바닥으로 손차양을 만든 것 같았고, 지금. 시간은 아주 느린 유속으로 흐르고 있었다. 산속에 던져진 나는, 내 삶에서 괴리된 일부분을 밟고 서 있는 것 같았다. 내가 존재하지 않는다고 느꼈던 허공이 가슴에 들어차 무거운 존재를 씻어내 주었다. 고래등처럼 아득한 산맥부터 길가에 피어난 야생화까지, 엄숙하지만 맑은 표정으로 나를 굽어보고 있었다. 적멸보궁까지 얼마 남지 않았다.

적멸보궁이 있는 건물은 터가 넓었다. 가장 높은 곳에 있어 가장 빛이 났다. 동생이 계단을 오르다가 알록달록한 벌레를 보았다며 나를 불렀다. 가까이서 보니 암청빛 몸통에 무지개색 빛이 파노라마처럼 박혀 있었다. 움직일 때마다 빛의 모양도 함께 변했다. 이 벌레의 피는 무슨 색일까?

적멸보궁 안에는 부처상이 있어야 할 자리에 투명한 창이 뚫려 있었다. 레몬 빛깔 풀들이 창을 통과하여 그대로 법당 안쪽까지 들어왔고, 모든 물건들이 마치 이 연하고 푸른 기체로 호흡하고 있는 것 같았다. 진정한 미륵은 '지금 여기' 있다는 의미로 통하는 걸까. 법당 내 부처는 어디에도 존재하지 않았지만 나는 마음 속에 미륵을 담게 되었다. 비존재로서의 신이 단순한 상징물로서의 존재보다 조금 더 진리에 가까이서 있다는 것을. 문태준의 시「빈집의 약속」이 떠오르는 순간이었다. 역시 가짜로 만든 신보다는 존재하지 않는 신을 보는 것이 나았다.

바람이 분다. 풍경(風磬)이 울리자 풍경(風景)에 금이 가는 소리, 고요하게 사찰을 넘어간다. 동심원처럼.

사실 정선 여행은 이번이 세 번째이다. 처음 여행했던 15살 때는 마음의 고향을 찾은 것만 같았다. 그 뒤로 쭉 정선을 잊지 못했다. 새로운 학기가 시작되고, 학교에 가는 새로운 날마다 후유증을 남겼다. 16살 때는 존재와 시간의 무호흡을 느끼고 싶어 다시 정선에 찾아왔다.

안타깝게도 그때 기억은 15살 때만큼 선명하지는 않았다. 건물과 산이 주는 에너지가 다르다는 것 정도만 기억이 난다. 그리고 지금은… 기억을 위한 여행이 아닌 지금을 여행할 수 있게 된 것 같다. 19살 때도, 20살 때도 혹은 그 이후에 다시 와도 오늘의 기억을 되새기기 위해 미래의 시간을 써내지 않도록, 그때도 지금처럼 아무것도 기억하지 못하도록….

점심을 먹어야 해서 이제 떠나야 했다. 하산하며, 마주쳤던 신비에 작별을 고했다. 여행은 멀고, 아직 어떤 일이 일어날지, 어떤 풍경이 내게 얼마만큼의 깊이를 남길지 모르는 일이다.

차에 탔을 때, 이곳의 풍경을 두고 가는 것이 아쉬워 차창을 열었다. 하늘이 보인다. 여름과 가을 사이를 통하는 바람의 머릿결이 부드러워져 간다. 저 산도 고지도 속 그림으로 남게 될 날이 올까? 일단은 아니라고 본다. 모든 나뭇잎의 그림자가 도마뱀처럼 산을 달아나고 산에 사는 모든 소리들이 걷어질 때까지 산은 살아 있을 것이다. 계절의 문턱에서, 가장 먼저 알려지지 않은 기후로 환복(換服)하며.

fin

아름다운 밤

밤이 왔다. 빼근한 달빛이 침대 밑으로 잠복해 왔다. 잠이 서서히 풍경을 감싸 안았고, 어깨뼈의 감각만이 아직 피부에서 떨어져 나가지 않았다. 밤은 검은 물감이 묻은 붓을 담가놓았던 유리병처럼 농도 짙은 어둠으로 출렁였다. 내 몸이 받아낼 수 있는 밤의 중력은 음표를 달아주지 않아도 저절로 노래가 되어 흘러들었다. 창밖에는 모과나무 그림자가 흔들렸고, 까만 눈동자 같은 나뭇잎들이 밤의 운율을 따라 서글프게 떨어졌다. 월훈(月暈)을 감싸는 구름의 속 살에 달의 상처 자국이 졌다. 유리창 너머로 닿지 못할 시

간의 그림자들이 고여 들었다가 이내 자취를 감추었다. 환희와 두려움의 입술 사이에서 버터 같은 꿈이 녹아내린다. 나는 아직, 잠들지 않았다….

하루에는 낮 그리고 밤이 있다. 그리고 그 사이에 책갈피처럼 오후가 놓여 있다. 낮은 모든 것이 보이기 때문에, 우리는 너무나 많은 물성과 부딪히며 살아간다. 우리의 영혼이 그것을 거부한다고 해도. 그러나 밤은 이런 낮의 속성을 따르지 않는다. 낮 동안 태양과 함께 타올랐던 모든 것들이 밤이면 그림자와 몸을 바꾸고 저마다의 시를 내건다. 밤의 공기는 시정이 가득하고 나는 하루의 가장 안전한 모서리에 서 있는 듯한 느낌을 받는다. 낮이 외로움의 시간이지만 밤은 고독의 시간이기 때문이다. 낮 동안의 우리는 조금의 외로움을 마음에 넣고 다닌다. 그래서 타인에 대한 갈망이 커지고, 더욱 뭉치려고 하는 우리의 속성이 발현된다. 그러기에 서로 사랑하고, 위로하고, 우정을 나누면서도, 서로 미워하고, 부딪치고 헐뜯는 것이 정당화될 수 있는 시간이다.

그러나 밤은, 우리 영혼의 입 안에서 고독을 꺼낸다. 그리하여 우리는 홀로 서 있는 존재를 생생하게 느낄 수 있다. 밤에는 모두가 시인이 되는 까닭이다. 밤은 나를 익숙한 어둠으로 감싸안는다. 이때부터 감정은 얇아지고 감각만이 남는다. 시를 쓰기 위한 시간이다. "달이 있다고 말하지 말고, 깨진 유리 조각에 비치는 한 줄기 빛을 보여줘라."라는 체호프의 문장이 잘 어울리는 밤이다. 멋쩍은 시를 조금 끄적여 보았다.

왜 봄은 아직도 0에 도달하지 않는지
네가 불어올 때마다 벚꽃의 생애가 진실 밖으로 밀려난다
나는 꿈에 잠겨 두꺼워진 달빛을 보고
네 눈동자에도 똑같은 달빛을 분양하고 싶었지
…

역시 밤의 온도만이 묻어나오는 아마추어 시인의 글이었다. 그러나 낮에는 이런 글을 쓸 수 없음을 안다. 낮은 우리에게 물질적인 안전을 보장해주는 대가로 영혼을 공포에 떨게 하는 쪽을 택했다. 낮에 대한 공포는 바로 모든 것이 완벽하다는 사실에서 온다. 그러나 밤은 불완전함으로 우리를 안정되게 한다. 낮은 신의 모습을 닮았지만, 밤은 인간을 닮았다. 우리가 낮에 외로움을 느끼고 밤에 혼자이길 바라는 건 밤이라는 다정한 동반자가 우리를 기다리고 있기 때문이다. 무엇보다도 밤은, 모든 생명에게 필수적인 어둠을 제공한다. 우리에게는 낮 동안 작은 그림자 안에 묶여있던 영혼이 깊은 밤의 하늘로 여로를 떠나는 시간이 필요하다. 우리를 감싸고 있는 온 세상이 그림자가 되는 충만함이 필요하다. 그리하여 우리는 매일매일 신의 시험에 드는, 권태롭지만 대담한 일을 지속할 수 있다.

창을 열었다. 벚꽃 향기에 젖은 봄의 한 장이 팔락- 날아간다. 아직 겪어보지 않은 사랑에 굶주리고 싶지는 않은 밤이다.

fin

2부

다시, 하루

작은 웃음

누군가 내가 쓴 글을 읽으면 "괜찮은 글이야, 하지만 너무 슬퍼…"라는 말을 한다. 조금 더 나아간 사람들은 내게 충고를 해주기도 했다.

"슬픔, 그래 그거 좋지. 그런데 너무 그런 글만 쓰게 되면 그게 관성이 된다. 어떤 모습의 글을 쓰려고 해도 써보고 나면 슬픔으로 회귀한 느낌이 들 거야."

사실 이런 조언도 거의 극소수의 반응이고 대개는 그냥 잘 썼다. 필력이 좋다 선에서 그친다. 그러나 글

읽기를 취미로 하는 사람들에게 물으면 내 글에는 슬픔이 묻어난다고 한다.

그럴 때면 나는, 행복을 서술하기에, 내가 경험해 본 종류의 행복은 단순하고 하잘것없는 것들 뿐이라, 글자 하나하나에 입히기에는 너무 부족하다고 말한다. 행복을 위해 거짓 기교를 쓰면 가슴이 무거워지고 말아 차라리 깨달음이나(사실 아무것도 깨닫지 못했다), 슬픔에 관한 글을 쓴다고, 마지막으로 행복보다는 불행을 더 선명하게 감각하는 사람도 있다는 말을 붙이려다가 다시 집어넣으며. 그러면 사람들은 금세 연민을 띤다. 그리고 네가 나중에 대학에 들어가면 분명 행복해질 거라고 위로한다.

그러나 나는 스스로를 불쌍하게 여겼던 적이 거의 없다. 중학생 때는 마음을 어느 방향으로 두어야 할지 몰라 항상 나를 다른 인칭으로 바라보았다. 시절은 유약했고, 나는 작은 압력에도 쉽게 부서지는 사람이었다. 그러나 그때 읽었던 여러 시와 소설들이 잔혹한 세월 앞에서 고개를 치들어 나아가도록 했다. 내용은 제각기였지만 모든 글이 말하고 있었다. 쉽게 자기연민에 빠져서는 안 된다고. 그 덕분에, 나는 불확실한 행복에 온 생애를 걸고 휘청이길 그만두고, 잘 정돈된 불행을 마음에 밝혀두고 있다. 정돈된 불행. 팔다리가 맞지 않는 목각인형처럼 어색하기만 한 표현일지도 모른다.

사람들은 고통과 불행을 혼용하곤 하지만 내게 그 두 가지는 엄연히 다르다. 불행은 나를 오직 행복의 여집합에 세워둘 뿐 어떠한 위해나 아픔을 가하지 않는다. 그러나 고통은 문자 그대로 나를 아프게 한다. 행복이 들어서기 전에 어떠한 고통도 나를 상처 내지 못하도록 마음을 깨끗하게 정돈하는 일은, 감정의 노도에 쓸려나가기를 막으며, 체력에 마진을 남겼다. 덕분에 불행하고, 건강한 삶을 살았다. 다가오지 않을 행복을 위해 매일매일 괴로워하는 건 오히려 그 행복을 가볍게 만들 뿐이었다. 존재 자체가 불확실한 행복이 나를 괴롭게 한다면 잠시 그 언어를 외면하는 것도 나쁘지 않았다.

이 모든 건 다가오는 행복을 충만하게 느끼고픈 마음에서 설계되었다. 나는 가능한 한, 오래도록, 행복을 누리고 싶었다. 쌉쌀한 커피콩 가루 사이에 섞여 있는 달콤한 설탕의 시간을. 선물 상자 안에는 오직 내 몫의 쿠키만 남아 있는 시간을.

매일 밤 자기 전이면 행복의 형태를 조금은 구상해 본다. 이불을 펴고, 낡고 수더분한 것들이 주는 정신적 고양, 그 속이 텅 빈 바게뜨 같은 시간을 목구멍 너머로 삼켜 가며 내 가슴에 머물게 할 얼마간의 슬픔과 양지로 흘려보내야 할 감정의 파고를 구분하는 줄을 쳤다.
생의 미약한 불빛만으로도 어둠을 몰아내기엔 부족하기에, 어떤 빛도 내 곁에 두고 싶었다. 그것이 차가운 달빛이라도.

… 석 달 전, 내 글을 조금 읽어 보고 싶다고 했던 사람에게, 지난해 쓴 글을 보여주었다. 이메일로 글을 받은 그 사람은 내가 쓴 글이 문학적이지만, 나는 힘들어 보인다는 답변을 보냈다. 나는 그 텍스트를 얼마간 지그시 응시했다. 그리고 다시 키보드에 손을 올렸다.

글을 읽어 주셔서 감사드립니다. 하지만 저를 가엾게 여길 필요는 없어요. 슬픔은 잔잔한 호면 위에 모사된 낮달처럼 선명하고, 창백하기에, 단순한 진심만으로는 흩어지지 않아요. 완전히 제거할 수 있는 것도 아니고요. 그리고 글이라는 게 어쩔 수 없이 과장을 내포하지 않으면 밋밋하잖아요. 저는 지금의 슬픔을 잘 유지하고 있어요. 이 슬픔의 외연이 어디까지 넓어질지는… 먼 훗날의 나만이 말할 수 있는 게 아닐까요.

그러자 조금 늦은 답변이 돌아왔다.
너는 정말 성숙한 아이구나…!
그분은 상당히 감격하셨던 것 같다. 우리 엄마가 들으면 까무러치게 놀랄 말까지 입에 담으시면서…

fin .

더 나은 x를 위하여

얼마 전 다녀왔던 제주에서의 경험은 확실히 나의 일상을 바꾸어놓았다고 할 수 있었다. 나는 이따금 아름다운 바다를 그리워했고, 지면에 닿을 듯한 비행기를 보면 아슬하게 중력을 헤엄치던 비행기 안에서의 감각이 돋아났다. 그러나 여행은 아름다움만을 가장 선명하게 남겨두지 않는다. 기억은 작위적이고, 어쩌면 조금 나쁜 쪽에 가깝다. 내가 잊을 수 없었던 경험은 가장 낮고, 불쾌한 곳에 있었다.

… 그때 나는 드뷔시의 음악이 흐르는 갤러리에 앉아

있었다. 여행의 둘째 날이었던 것 같다. 산굼부리에서 오래 걸어 휴식이 필요했던 탓이었다. 의자에 몸을 맡기자 다리에 뭉쳐 있던 피로가 조금씩 녹아내렸다. 돈이 없는 관계로 커피를 마시지 못하고 어포를 뜯으며. 갤러리에 어포라니. 겉보기엔 너무 안 어울리는 조합이었다. 이 갤러리의 질 낮은 모사품들과 공간을 위해 구성된 공간이라는 허구성에는 너무나도 잘 어울리는 안주이지만.

갤러리 정 가운데서 작품 하나하나를 뜯어보았지만, 어떤 작품에서도 예술적 기교가 나타나지 않았다. 모든 것이 따분했다. 내 시선은 흥미로운 무언가를 포착하기 위해 전후좌우로 돌아가고 있었다. 그때 나를 사로잡을 무언가가 들렸다.

“오빠, 잘 좀 나오게 찍어줘.”

두 명의 연인이 성 베드로 성당을 찍어낸 모사품 앞에 있었다. 남자는 보아하니 길게 늘어진 여자의 그림자처럼 여자를 찍어주기 위해 애쓰는 것 같았다. 언뜻 보이는 화면 속의 여자는 남자의 손끝에서 늘어나기도 했고, 조금 줄어들기도 했으며(원래의 크기로 줄어드는 법은 없었다) 여자를 향해 빛을 분사하는 렌즈는 이미 피로해 보였다. 남자는 몇 번의 플래시를 터트렸고, 여자는 사진을 확인하러 남자에게로 달려갔다. 그러나 썩 마음에 드는 작품은 없었는지 다시 포즈를 잡기 시작했다. 남자는 다시 여자를 찍어주기 위해 무릎을 꿇었다. 이 폐병 같은 순간이 나를 질식시켰다. 아, 사람을 저리도 쉽게 무릎 꿇리는 못난 여자친구는 되지 말아야겠다. 남자의 얼굴 뒤편에는 어떤 표정이 있을까…? 이 상황을 벗어나고 싶은 마음에 애를 태우는 것인가, 사랑하는 여자를 위한 기사도 정신을 발휘하는 것인가, 아니면 여자에게서 느껴지는 허영을 경멸하게 될까? 결국엔 이 여자까지 경멸하게 될까?

지저분한 의문만이 가중되어갔다. 의문은 파문을 그린다. 나는 내 나름대로 이 상황을 바꾸기 위한 시나리오를 작성해 보았다.

앞으로 두 번의 플래시가 터지고, 여자는 다시 남자에게로 달려갈 것이다. 사진이 마음에 들지 않은 여자는 이번에는 짜증을 낼 것이고 남자는, 그렇다면 남자는, 성 베드로 성당 꼭대기를 향해 여자의 스마트폰을 던져버린다면…

나는 거기서 생각을 중단하였다. 뒤이어 두 연인을 파국으로 밀어넣었다는 죄책감을 잠시간 느꼈다. 내가 이런 발칙한 생각을 멈추었을 때도 남자는 여전히 스마트폰으로 여자의 몸을 늘리고 있었다.

아, 어쩌면 그 갤러리에서는 나만이 솔직했다. 사람들은 존재하지도 않지만(분명 어딘가에 존재할 것이라고 믿고 있는) 자신을 고양시킬 무언가를 위해 거짓 한 겹쯤을 입고 있는 일에는 너무 익숙해졌다. 축구에서의 펄스나인은 때론, 정통 스트라이커보다 더 환상적인 골을 넣지만, 생의 거짓은 한없이 비겁하고, 추악하기만 하다.

역겨운 기분이 들어 아직 다 쉬지 못한 다리를 이끌고 갤러리를 나가려고 했었다. 그때, 하나의 작품이 보였다.

<더 나은 내일을 위하여> 라는 제목의 위에, 담회색 조각토로 빚은 가족의 반신상이었다. 내 눈이, 물 먹은 휴대전화 액정처럼 빛나기 시작했다. 나는 가까이 다가가 거울 속을 들여다보듯 그 작품을 찬찬히 뜯어보았다.

대리석 위에 놓인 아버지는 아이를 안고 있었고, 아

이의 몸은 아버지에게 안겨 있었지만 얼굴은 밤껍질 처럼 텅 비어 있었다. 어머니는 허공을 향해 손가락을 올렸고, 어머니의 손가락 방향으로 모두의 얼굴이 돌아가 있었다. 세 사람의 얼굴은 모두 움푹 파인 상태였고, 그 틈에 빛과 어둠이 적절히 배합되어 있었다. 표정이 뜯어진 사람, 얼굴은 사라졌지만, 목적만은 확실히 남아버린 가족의 모습은, 그들의 몸짓만으로도 작품의 분위기를 한껏 기괴하게 끌어올렸다. 알 수 없는 감정의 기류가 몸을 타고 올라오기 시작했다. 다시 여자의 쪽을 바라보았다. 그녀는 물론 남자 친구마저 보이지 않았다. 허영의 독이 묻은 아름다움의 사과를 깨문 여자와 그녀의 아름다움을 지켜 주기 위해 키스로써 깨우지 못하는 남자. 허영 속에 영원히 잠들어 있는 한 쌍의 거짓말이 거짓말 같은 공간에서 이탈했다. 뒤이어 유리창을 향해 쏟아지는 빗물 소리 같은 목소리가 들렸다.

It was yesterday… I went to her…

나는 아주 조금만 웃었다. 그것은 커피의 단맛 같은 웃음이었다. 여행하는 동안 여러 장면을 보고, 아름다움이란 아름다움은 끌어 모아보려 했지만, 이야기로는 역시 이것이 그럴싸했다.

fin

그해 병환이 들어…

겨울이 오기 전 내게 병이 찾아왔다. 나는 그 무렵 시험을 앞두고 병원에 입원해야 했다. 일주일 정도 입원하는 것이 원칙대로였으나, 엄마와 내가 간곡히 부탁한 탓에 이틀하고도 정확히 반, 목요일에서 토요일까지만 병원에 있기로 했다. 어릴 적부터 잔병치레는 많았지만 큰 병에 걸리지 않아 입원 경험이 전무했던 나를, 그것도 하필 가장 중요한 시험 일주일 앞두고 입원시켜야 하는 엄마로서는 불안한 처사가 아닐 수 없었다. 하지만 내게 입원은 시험보다 급한 수순이었다. 병원은 죽음과 가깝고도 요원했고, 그 분명

한 모순이 지금으로써는 나를 안심시킬 수 있는 유일함이었다.

병원에서의 생활은 그리 만족스럽지는 못했다. 일주일 동안 받아야 할 검사를 이틀이라는 시간 안에 끝내야 했기 때문에 아침 식사를 마치고 7시가 지나면 오후가 끝날 때까지 각종 검사를 받아야 했다. 검사를 받으러 15층의 정신병동에서 2층의 신경정신과까지 내려가는 일은 상당히 수고스러운 일이었지만, 가장 힘들었던 건 검사가 끝난 뒤의 시간을 홀로 견뎌내는 일이었다. 병원에서 준 약 때문에 공부를 할 수 없을 정도로 어지러웠고, 『브람스를 좋아하세요』와 『새의 선물』 말고는 가져온 책이 없었다.

모든 것들이 끝나고 저녁이 되면 병원 침대에 누워, 나는 천국에 대해 생각했다. 내 안에 있는 천국은 어떤 모양일까. 아직 그려지지 않은 걸 보니 꽤 거대한 곳일 거다. 그전까지 살아 있었으면 좋겠는데 몸은 너무나도 쉽게 죽음에 다가서려 한다. 두통이 시작되면 초 단위로 갈라진 실존이 떠다니는 것 같았다. 죽음이 그중에 하나를 겨냥하고 있고, 어느 순간 모든 것이 끊어질 것 같았다. 젊음 아래 있는 삶도 보증수

표는 아닐 거라는 생각이 순식간에 뇌리를 거머쥐었다. 순간 뼈와 살을 분리해내는 고통이 덮쳐 왔다. 나는 창을 열었다. 바람이 훅 불어와 고통의 불씨를 소화(消火)해냈다. 병원 창 너머로 펼쳐진 어둠은 빙하기가 그리워질 만큼 차가웠다. 지반에서 싹을 틔운 어둠이 건물을 줄기 채로 감아 타고 오르는 것 같았다. 그때 내 안에 닳고 닳아 혀끝을 둥그렇게 맴돌던 말이 떠올랐다. 그것은 입술보다는 눈을 빌려 나왔다. 그것은 분명 나에 대한 슬픔이었다. 슬픔. 그 불가해한 이름.

나의 목소리가 병원 안에 있는 간호사들을 불러 모았다. 한 간호사가 내 어깨를 잡자 나는 슬픔의 늪에서 빠져나와 여기가 실존임을 깨달았다. 그들에게 내 슬픔의 깊이를 드러내는 것은 나로서 허용할 수 없는 일이었다. 그 순간 위기를 모면하기 위해 오직 어린이로서만 용납되는 작위를 이용했다. 부모님이 너무 보고 싶어요.

거짓말이었다. 영혼이 가득 들어간 잉크가 내 몸 위에 절망을 휘갈겨 쓰고 있었다. 나는 탈피하고 싶었다. 어떤 방식으로든 이 불가해함을 탈피하고 싶었다. 더는 시간에 빌고 싶지 않았다. 잠시 머물다 갈게요. 한 생애를 통째로 빌리고 싶지 않아요. 나를 쫓아내지 말아요. 시간에마저 버림받아 피난민처럼 떠돌아야 했던 날들이 갈퀴로 뇌리를 긁으며 지나갔다.

나는 엉엉 울었다.
… *엄마, 나 아파. 아주 많이 아파.*

그리고 나를 낳았던 수많은 엄마들에게 빌었다. 아직은 천국에 가고 싶지 않다고.

얼마 지나자 나를 둘러싼 이곳의 부피와 압력이 내 압과 같은 속도로 흐르고 있었다. 고통의 소강 상태였다. 내 상태가 나아진 것을 보자, 내 침대 옆에 누워 있던 아주머니가 말을 건넸다.
"아까 너무 서럽게 울어서 걱정됐는데. 이제 괜찮아졌어? 엄마가 보고 싶지? 학생, 많이 먹고 빨리 나아."
백육십 센티가 조금 안 되는 나만 한 키에 사십 킬로그램도 나가지 않는 그녀의 위로를 듣자 다시 눈물이 났다.
'아니에요, 아주머니… 이건 잘 먹어서 낫는 병이 아니에요… 어떤 약을 먹어도 낫지 않을 거예요. 불안의 활주로를 끊어내지 못한다면…'
역류하는 말들을 꾹꾹 삼키며 그저 '괜찮아질게요'만 주문처럼 되뇌었다. 어쩌면 빙하기보다 차가운 밤이 될지도 몰랐다.

밤이 되었다. 모두가 수면제에 맞추어진 시간대로 잠이 들었다. 병원 안에서 공평해지는 호칭 같았다. 오직 나만이 잠들지 못했다. 밤과 죽음을 혼동하곤 해서, 쉽게 두려움에 빠졌다.
누군가 창틀 너머로 들어와서 방 안에 흘려놓은 어둠을 모두 주워다 사라졌으면, 갓 태어난 햇살이 손등을 두드리며 톡, 톡 터지는 아침이 영혼을 흔들어 깨워주었으면… 있지도 않은 신의 이름을 부르며 밤을 보냈다.

"… 유화 씨는 유화 씨 자체만으로도 충분히 멋진 사람이에요. 이제 더는 울지 말고 일어나요, 다시 숨쉬기가 힘들어지면 코와 입으로 호흡하는 거에요."

그래도 그 간호사 언니의 말을 부적처럼 품고 다니며 유리 파편 같은 시간을 버텼다. 그리고 눈물로 투명해진 사금파리를 언젠가 주워 보석함에 담아야겠다. 아름다움은 슬픔의 피륙으로 짜이기도 하니까……

퇴원 시간보다 이른 시간에 엄마가 왔다. 어젯밤 내가 울었다는 말을 듣고 온 가족이 패닉 상태였다고 했다. 고작 이틀을 의젓하게 버티지 못했던 것이 어쩐지 미안해졌다.

퇴원 수속을 마치고 나서, 아빠 차를 타고 이 낯선 동네를 떠나야 했다. 어제 나를 위로해주었던 간호사 언니를 찾고 싶었지만, 야간 교대라 보이지 않았다. 무언가 아주 큰 빚을 진 것 같았다.

아빠는 퇴원한 기념으로 감자탕을 먹으러 가자고 했다. 나는 아빠를 안심시키기 위해 바로 좋다고 했지만, 점심을 어떻게 해결하는지는 사실 관심 밖이었다. 어쩐지 답답한 기분이 들어 창을 열었다. 강화유리로 가려졌던 풍경의 채도가 한 단계 높아졌다. 재개발이 한창이라 동춘동에선 볼 수 없는 신도시의 건물들 사이로 낡고 부식된 건물들이 보였다. 건물들은 몸을 비운 채로 겨우 서 있을 뿐이었다. 산소 호흡기에 의지하는 식물인간처럼…. 90년대, 어쩌면 그 이전부터 존재했을 건물들을 아무렇지 않게 지나가는 사람들, 과거와 현재의 시공간이 미묘하게 뒤섞인 이 풍경. 마치 20세기 박물관 투어를 하고 있는 것 같았다. 그러나 이러한 풍경도 오래 가지 못할 것임을 안다. 포클레인과 인부들이 이악하게 붙어있는 철물점 문짝을 뜯어내고 있었다. 철물점의 시간을 붙들고 있던 산소 호흡기마저 떼어내 버렸다.

20세기의 연인들이 살을 맞대고 있었던 낡은 여관, 굳은 핏빛 벽돌들이 주검처럼 무너져 있는 담장 … 골목 골목마다 물때처럼 끼어 있던 우리의 20세기가 철거되고 있었다. 내 가슴에 진흙처럼 붙어있던 슬픔도 겪여보지 못한 그리움의 소나기에 씻겨 하나둘 떨어져 나가기 시작했다. 나는 소리 없이 외쳤다.

잘 가시오. 20세기여.

파르르 떨리는 별들의 울음소리와 기침처럼 찾아오는 향수만으로 21세기의 그 우악스러움을 어떻게 버텨낼 수 있을까. 하늘에는 아직 수없이 내통하였던

20세기의 얼룩이 묻어 있을지도 모른다. 가장 아름답고, 서글펐던 20세기여 안녕.

그리고 안녕… 슬픔이여 안녕.

내가 아는 안녕의 두 가지 기의를 압축하여 슬픔의 이름을 불렀다. 그렇게 한다면 슬픔이 파자될 것 같았다.

나는 양광 아래 영혼을 펼쳐 두고, 슬픔의 얼룩만이 남을 때까지 말려야겠다고 생각했다.

fin

오래된 여인의 일기장

모든 생명의 시원(始元)은 바다다. 그 말이 접어 올린 소설의 페이지처럼 마음 끝에 솟아났다. 육각형으로 쪼개지는 햇빛이 두 눈을 찔렀다. 눈물과 함께 소금기가 가득한 바람이 불어왔다. 나는 바다에 있었다.

바다 앞에 서면 은으로 덧댄 시간마저 염장되는 것 같았다. 두꺼워진 바람, 초여름의 풍경 위로 뻗어있는 초가을의 날씨까지… 조금은 엇나간 계절이 좋았다. 파도는 요동치고 있었지만 끝은 날카로웠고, 배를 손톱으로 긁어 대며 하얗게 피어나고 있었다. 떨리는 손으로 머리칼을 빗어 넘겼다.

바다의 몸에서, 내재된 소금의 시간을 빼내기 위해선 얼마만큼의 태양이 필요한가. 내일 하늘에 열 개의 태양이 뜨면 바다가 모두 소금 사막으로 변해버릴 텐데…

이 바다를 횡단하는 바람을 살짝 열어 보면, 소금이 머물다 간 흔적이 있을까. 오래된 여인의 이름처럼. 바닷물을 머금은 바람은… 다시 사막의 밤을 건너며 온몸에 성에처럼 소금이 낄까.

모래로 뒤덮인 네 심장에
입을 맞추는 파도가 되어줄게…

파도가 가까워지자 문득 완성하지 못했던 시가 떠올랐다. 어서 발을 담그고 싶은 강력한 충동을 느꼈다.

금세 발목을 삼켜버린 파도가 두 다리를 핥아 주었다. 이대로 파도가 되어 달의 중력에 끌려다니는 것도 나쁘지 않을 것 같았다. 온 생애가 발끝에 맴도는 차가움과 공명하고 있었다. 내가 알지 못했던 생물들의 내력이 나를 관통하여 지나갔다.

다시 뭍으로 나와 양말을 신어도 발에 차가움이 맴돌았다. 앞으로 영원히, 내 몸에 닿지 못할 감각… 바다는 수만 가지의 돌들과 살을 섞고 세포를 끌어당기며 그 차가움을 만들었겠지. 수만 세기를 거친 차가움. 문명과 역사의 공백일지도 모르는 바다는 그 무엇보다도 강력한 생물성을 지니고 있었다.

배는 빨라지고 뒤쫓지 못한 파도가 부서진다. 메밀꽃처럼. 하얗게 응고된 소금의 시간이 녹아가고 있었다.

바다가 움직일 수 없는 하늘의 시간까지 모두 받아간 채로 약동하는 것이라면, 바다는 아무래도 세월의 벽이 맞는 것 같다. 저 파도에는 분명 태양의 눈썹과 달의 눈물이 내포해 있겠지… 바다는 낮과 밤, 투명한 시간을 파도 아래로 덮으며 뒤척이는, 생의 현 주소인 바다는, 여기로 오고 있었다.

파도가 다시, 내게로 몰아쳐 왔다. 이번에는 발목 대신 손가락을 담갔다.

그리고 손가락을 빨았다. 짠맛 너머의 맛이 혀에 감겨 왔다. 소금보다 더 아름다운 소금의 원형. 몇 번의 파도로 몸을 바꾸어 오는 이국의 땅, 그 맛이 소금에서 발견할 수 없는 새로움으로 다가왔다.

소금을 만드는 동안 향긋한 바다의 맛은 탈수되고 오직 짠맛만이 남는다. 짠맛은 슬픔과 같아서, 지독한 태양의 빛에 찔려도 살아남는 것인가. 저마다의 슬픔을 몸에 두르고 단단하게 굳어가는 것인가. 나의 슬픔은 잔잔한 호면 위에 모사된 낮달처럼 선명하고, 창백하기에 단단한 소금 결정 하나로 결정되는 것인가. 슬픔의 외연은 어디까지 넓어질까…

나의 문장이 꼭지를 따다 만 열매처럼 태양의 주름살에 고개를 파묻고 익어간다.
삶은… 얼마만큼 아름다워질까.

fin

<마치며>

어렸을 때 나는 마법사나 닌자(애니메이션 '닌자고'의 영향이 컸다)가 되고 싶었다. 만화책에 나오는 건 모두 그런 사람들이었다. 남들과 같은 건 늘 하고 싶지 않았다.

조금 더 크고 나서는 되고 싶은 게 없어 '공무원'이나 '학자'를 적어냈던 것 같다. 그 의미조차도 알지 못하면서.

초등학교 6학년 때 처음으로 허무맹랑한 꿈이라고 말할 수 있는 것들에서 벗어나게 되었다. 그때는 그림을 업으로 삼고 싶었다. 그러나 그 결심은 오래 서지 못하고 자유학년제와 함께 중학교 2학년 때 깨져버리고 말았다. 그림을 잘 그리는 사람은 공무원 시험을 준비하는 사람만큼이나 많았고, 반에서 꼴등을 겨우 면하던 그림 실력이 반에서 일 이등을 다툴 정도까지 오르게 되자 더 이상의 욕심이 서지 않았다. 나는 거기까지였다. 여전히 노는 것과 만화책을 좋아했고, 거기에 그림그리기라는 부차적인 요소가 딸려 있었을 뿐이었다.

글쓰기를 시작한 것은 중학교 3학년 때였다. 내 글을 읽어 본 많은 사람들이 추측했던 바와는 다르게, 나는 어릴 때부터 독서만을 외곬으로 파 내려갔던 문학소녀가 아니다. (만화책도 '독서'의 일환으로 여겨주신다면야 충분히 맞는 말이겠지만) 그저 어릴 때의 나는 환상적인 만화책 속의 세계에 매료되었던 것이고, 중학교 3학년이 된 나는 책이 표현해내는 세계를 다른 어떤 것들을 통해 펼쳐지는 세계보다 매혹적이라고 느꼈던 것이다.

그래도 그림그리기와는 다르게 글쓰기에는 어느 정도 재능이 있었던 것 같다. 초등학교 때나 중학교 때나 소설 뒷부분 이어쓰기를 하면 선생님은 항상 내 것을 칭찬했었다. (물론 그것이 백일장에서 입상할 만한 수준이 아님은 나도 안다.)

글쓰기와의 인연은 여기서 그치지 않는다. 글쓰기는 나의 내력과도 이어진다. 우리 엄마가 꼭 내 나이 때, 소설가가 되고 싶었다고 했다. 또 우리 외할머니는 소식 젓에 글을 아주 잘 쓰셨다고 했다! 엄마는 소설가가 되고 싶었지만 재능이 없었고, 외할머니는 명민

했지만, 시대가 할머니를 가로막았다. 이제는 나만이 남았다.

그러니까, 나의 문장은 엄마와 외할머니를 경유하여 온 문장이다. 어쩌면 세기의 문장(紋章)일지도…

그런 까닭으로 나는 글쓰기를 더 사랑할 수밖에 없다. 지금의 내가 딱 바라는 두 가지가 작가가 되는 것과 외국에 나가서 사는 것일 정도로 글쓰기는 내 몸을 지탱하는 207번째 뼈라고 할 수 있다.

처음으로 내 이름이 들어간 책이 인쇄된다는 소식에 아직도 두근거린다. 나의 문장이, 가슴과 전자 노트에 막연하게만 품고 있던 생각들이 종이 위에 모를 심듯 하나하나 활자로 심어진다는 것이 정말 작가가 된 것 같은 느낌이 들게 한다. 이 책이 마음에 우뚝 선 등대에 불을 붙여 줄 작은 성냥개비가 되기를 바라며…

2023 인천에서, 김유화.